Dorothea Neumann/Sabine Grehl

Topflappen häkeln – neue Ideen

AUGUSTUS

Inhalt

Classix

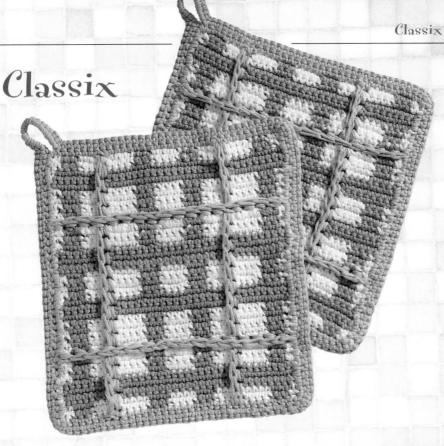

Schottenkaro

Größe ca. 20 x 20 cm

Das wird gebraucht

Für 1 Paar Topflappen:
50 g Coats Lyric 8/8 weiß (Fb 500),
50 g grau (Fb 591), 30 g beige (Fb 503)
Häkelnadel Nr. 4 oder 4,5

Grundmuster: FM in R häkeln, dabei je-de R mit 1 Lm wenden. Das Muster nach dem Zählmuster einhäkeln. Den Muster-faden beim Häkeln auf die M-Glieder der Vor-R legen und einhäkeln. Beim Farbwechsel stets die letzte M einer Far-be mit der folgenden Farbe abmaschen. In R 5 und 16 (= grau) den weißen Faden einhäkeln, damit für die folgende R bei-de Farben auf der richtigen Seite sind.

Für die beigen Überkaros werden die Loch-R mit Kett-M von beiden Seiten behäkelt, dabei den Faden sehr locker auf der Rückseite mitführen, damit sich die Arbeit nicht zusammenzieht.

Maschenprobe:
18 M und 18 R = 10 x 10 cm

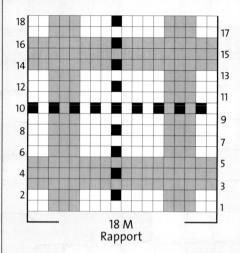

18 M
Rapport

Hahnentritt-muster

Größe ca. 20 x 20 cm

Das wird gebraucht

Für 1 Paar Topflappen:
60 g Coats Lyric 8/8 weiß (Fb 500),
70 g grau (Fb 591)
Häkelnadel Nr. 4 oder 4,5

Zählmuster   □ 500   ■ 591

□ = fM

■ = mit 2 Lm 1 M übergehen

So wird's gemacht

37 Lm in Weiß anschlagen und in R fM häkeln = 36 M. Nach dem Zählmuster arbeiten = 2 Musterrapporte + 1 Wende-M. Nach 36 R ist der Topflappen beendet = 2 x die 1.–18. R häkeln. Nun die beigen Überkaros häkeln.

Umrandung: Den Topflappen mit 1 Rd fM in Beige umhäkeln, dabei in jede R und in jede M des Häkelgrundes 1 fM häkeln, an drei Ecken stets 3 fM in eine Einstichstelle, an einer Ecke für den Aufhänger 12 Lm häkeln. Die Kante noch mit einer Rd Kett-M behäkeln, dabei die Lm-Kette für den Aufhänger mit 15 fM umhäkeln.

Grundmuster: FM in R häkeln, dabei jede R mit 1 Lm wenden. Das Muster nach dem Zählmuster einhäkeln. Den Musterfaden beim Häkeln auf die M-Glieder der Vor-R legen und einhäkeln. Beim Farbwechsel stets die letzte M einer Farbe mit der folgenden Farbe abmaschen.

Maschenprobe:
18 M und 18 R = 10 x 10 cm

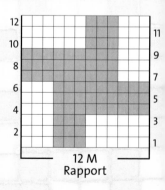

12 M
Rapport

Zählmuster   □ 500   ■ 591

So wird's gemacht

37 Lm in Weiß anschlagen und in R fM häkeln = 36 M. Nach dem Zählmuster arbeiten = 3 Musterrapporte + 1 Wende-M. Nach ca. 36 R ist der Topflappen beendet = 3 x die 1. – 12. R häkeln.

Umrandung: Den Topflappen mit 1 Rd fM in Grau umhäkeln, dabei in jede R und in jede M des Häkelgrundes 1 fM häkeln, an drei Ecken stets 3 fM in eine Einstichstelle, an einer Ecke für den Aufhänger 12 Lm häkeln. Die Kante noch mit einer Rd Kett-M behäkeln, dabei die Lm-Kette für den Aufhänger mit 15 fM umhäkeln.

Fischgratmuster

Größe ca. 20 x 20 cm

Das wird gebraucht

Für 1 Paar Topflappen:
70 g Coats Lyric 8/8 weiß (Fb 500),
60 g beige (Fb 503)
Häkelnadel Nr. 4 oder 4,5

Maschenprobe:
18 M und 18 R = 10 x 10 cm

So wird's gemacht

37 Lm in Weiß anschlagen und in R fM häkeln = 36 M. Nach dem Zählmuster arbeiten = 2 Musterrapporte + 1 Wende-M. Nach 36 R ist der Topflappen beendet = 3 x die 1. – 12. R häkeln.

Umrandung: Den Topflappen mit 1 Rd fM in Weiß umhäkeln, dabei in jede R und in jede M des Häkelgrundes 1 fM häkeln, an drei Ecken stets 3 fM in eine Einstichstelle, an einer Ecke für den Aufhänger 12 Lm häkeln. Die Kante noch mit einer Rd Kett-M behäkeln, dabei die Lm-Kette für den Aufhänger mit 15 fM umhäkeln.

Zählmuster

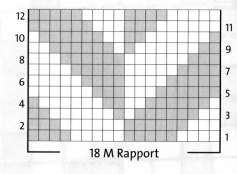

18 M Rapport

□ 500   ■ 503

Grundmuster: FM in R häkeln, dabei jede R mit 1 Lm wenden. Das Muster nach dem Zählmuster einhäkeln. Den Musterfaden beim Häkeln auf die M-Glieder der Vor-R legen und einhäkeln. Beim Farbwechsel stets die letzte M einer Farbe mit der folgenden Farbe abmaschen.

Wild Things

Leopardenmuster

Größe ca. 20 x 20 cm

Grundmuster: FM in R häkeln, dabei jede R mit 1 Lm wenden. Das Muster nach dem Zählmuster einhäkeln. Den Musterfaden beim Häkeln auf die M-Glieder der Vor-R legen und einhäkeln. Beim Farbwechsel stets die letzte M einer Farbe mit der folgenden Farbe abmaschen.

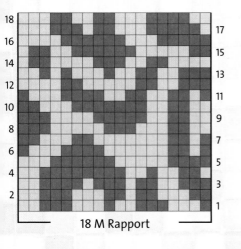

Maschenprobe:
18 M und 18 R = 10 x 10 cm

Zählmuster

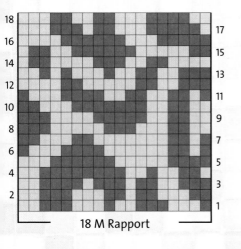

18 M Rapport

▢ 503   ◼ 501

So wird's gemacht

37 Lm in Beige anschlagen und in R fM häkeln = 36 M. Nach dem Zählmuster arbeiten = 2 Musterrapporte + 1 Wende-M. Nach 36 R ist der Topflappen beendet = 2 x die 1.-18. R häkeln.

Umrandung: Den Topflappen mit 1 Rd fM in Schwarz umhäkeln, dabei in jede R und in jede M des Häkelgrundes 1 fM häkeln, an drei Ecken stets 3 fM in eine Einstichstelle, an einer Ecke für den Aufhänger 12 Lm häkeln. Die Kante noch mit einer Rd Krebsmaschen behäkeln, dabei die Lm-Kette für den Aufhänger mit 15 fM umhäkeln. Krebsmaschen sind fM, sie werden jedoch von links nach rechts gehäkelt.

Zebramuster

Größe ca. 20 x 20 cm

Das wird gebraucht

Für 1 Paar Topflappen:
70 g Coats Lyric 8/8 schwarz (Fb 501),
  60 g weiß (Fb 500)
Häkelnadel Nr. 4 oder 4,5

37 Lm in Schwarz anschlagen und in
R fM häkeln = 36 M. Nach dem Zählmuster arbeiten = 2 Musterrapporte +
1 Wende-M. Nach 36 R ist der Topflappen beendet = 2 x die 1. – 18. R häkeln.

Umrandung: Den Topflappen mit 1 Rd
fM in Schwarz umhäkeln, dabei in jede
R und in jede M des Häkelgrundes 1 fM
häkeln, an drei Ecken stets 3 fM in eine
Einstichstelle, an einer Ecke für den Aufhänger 12 Lm häkeln. Die Kante noch
mit einer Rd Krebsmaschen behäkeln,
dabei die Lm-Kette für den Aufhänger
mit 15 fM umhäkeln. Krebsmaschen
sind fM, sie werden jedoch von links
nach rechts gehäkelt.

Grundmuster: FM in Reihen häkeln, dabei jede R mit 1 Lm wenden. Das Muster
nach dem Zählmuster einhäkeln. Den
Musterfaden beim Häkeln auf die M-
Glieder der Vor-R legen und einhäkeln.
Beim Farbwechsel stets die letzte M
einer Farbe mit der folgenden Farbe abmaschen.

Maschenprobe:
18 M und 18 R = 10 x 10 cm

Zählmuster

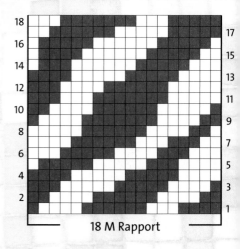

18 M Rapport

☐ 500   ■ 501

Randlösungen

Mäusezähnchen

Größe ca. 21 x 21 cm

Das wird gebraucht

Für 1 Topflappen:
85 g Coats Lyric 8/8 flieder (Fb 527) oder
  apfelgrün (Fb 590)
Häkelnadel Nr. 4 oder 4,5

Grundmuster: Relief-Stäb und Stäb.
M-Anschlag teilbar durch 4 + 3.
1. R: In die 4. Lm von der Nadel aus das
1. Stäb häkeln, dann auf jede Lm 1 Stäb
häkeln = M-Zahl teilbar durch 4 + 1.
2. und 4. R: 2 Lm als Ersatz für das
1. Stäb, * 1 Stäb von hinten um den Stäb-
Hals der Vor-R, 1 Stäb von vorne um den
folgenden Stäb-Hals der Vor-R häkeln,
ab * stets wdh., enden mit 1 Stäb von
hinten um den Stäb-Hals der Vor-R,
1 Stäb um das Ersatz-Stäb der Vor-R.

3. R: 2 Lm als Ersatz für das 1. Stäb, *
3 Stäb von vorne, 1 Stäb von hinten um
den Stäb-Hals der Vor-R, ab * stets wdh.,
enden mit 3 Stäb von vorne, 1 Stäb um
das Ersatz-Stäb der Vor-R.
5. R: 2 Lm als Ersatz für das 1. Stäb, 1 Stäb
von vorne einstechen, * 1 Stäb von hinten, 3 Stäb von vorne um den Stäb-Hals
der Vor-R, ab * stets wdh., enden mit
1 Stäb von vorne, 1 Stäb von hinten um
den Stäb-Hals der Vor-R und 1 Stäb um
das Ersatz-Stäb der Vor-R.
Die 2. – 5. R stets wdh.

Maschenprobe:
18 M und 12 R = 10 x 10 cm

So wird's gemacht

39 Lm anschlagen und nach dem
Grundmuster arbeiten: 37 M = 1 Ersatz-
M, 35 M Grundmuster, 1 Rand-M. Nach
ca. 21 cm ist das Teil beendet.

Umrandung: Den Topflappen mit 1 Rd
fM und Pikots umhäkeln: * 2 fM, 1 Pikot
= 3 Lm und 1 Kett-M in die 1. Lm, ab *
stets wdh. Gleichzeitig für den Aufhänger in eine Ecke anstelle des
Pikots ca. 12 – 14 Lm häkeln,
mit 1 Kett-M schließen
und gleich mit ca.
15 – 18 fM umhäkeln.

Rüschenkante
Größe ca. 21 x 21 cm

Das wird gebraucht

Für 1 Topflappen:
90 g Coats Lyric 8/8 pink (Fb 587) oder gelb
(Fb 524)
Häkelnadel Nr. 4 oder 4,5

Grundmuster: Relief-Stäb, Stäb und fM.
M-Anschlag teilbar durch 4 + 1. Nach
der Häkelschrift arbeiten, in den Rück-R
werden nur fM gehäkelt = M-Zahl teilbar durch 4 + 3. 1-mal die 1. – 5. R häkeln,
dann die 2. – 5. R stets wdh.

Maschenprobe:
18 M und 13 R =
10 x 10 cm

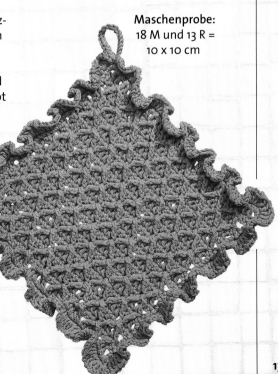

Häkelschrift

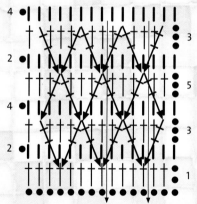

So wird's gemacht

37 Lm anschlagen und nach der Häkel-schrift arbeiten = 35 M. Nach ca. 20 cm ist das Teil beendet.

Umrandung: Den Topflappen mit 1 Rd fM behäkeln, dabei in den Ecken je 3 fM arbeiten.

2. Rd: 3 M als Ersatz für das 1. Stäb, dann in jede M der Vor-Rd 1 Stäb, 1 Lm, 1 Stäb, 1 Lm häkeln. Für den Aufhänger in eine Ecke ca. 12 –14 Lm häkeln, mit 1 Kett-M schließen und gleich mit ca. 15 – 18 fM umhäkeln.

●	Luftmasche = Lm
I	feste M = fM
†	Stäbchen = Stäb
‡	Reliefdoppelstäbchen von vorne um den Stäbchenhals 2 R tiefer einstechen

Schlingenkante

Größe ca. 21 x 21 cm

Das wird gebraucht

Für 1 Topflappen:
90 g Coats Lyric 8/8 orange Fb 537 oder
 türkis Fb 557
Häkelnadel Nr. 4 oder 4,5

Grundmuster: Relief-Stäb. M-Anschlag teilbar durch 4.
1. R: In die 4. Lm von der Nadel aus das 1. Stäb häkeln, dann auf jede Lm 1 Stäb häkeln = M-Zahl teilbar durch 4 + 2.
2. R: 2 Lm als Ersatz für das 1. Stäb, * 2 Stäb von vorne um den Stäb-Hals der Vor-R, 2 Stäb von hinten um den Stäb-Hals der Vor-R häkeln, ab * stets wdh., enden mit 1 Stäb um das Ersatz-Stäb der Vor-R.

3. R: 2 Lm als Ersatz für das 1. Stäb, dann die Relief-Stäb häkeln wie sie erscheinen.

4. R: 2 Lm als Ersatz für das 1. Stäb, * 2 Stäb von hinten um den Stäb-Hals der Vor-R, 2 Stäb von vorne um den Stäb-Hals der Vor-R häkeln, ab * stets wdh., enden mit 1 Stäb um das Ersatz-Stäb der Vor-R.

5. R: 2 Lm als Ersatz für das 1. Stäb, dann die Relief-Stäb häkeln wie sie erscheinen. Die 2.–5. R stets wdh.

Maschenprobe:
18 M und 12 R = 10 x 10 cm

So wird's gemacht

40 Lm anschlagen und nach dem Grundmuster arbeiten: 38 M = 1 Ersatz-M, 36 M Relief-Stäb, 1 Rand-M. Nach ca. 21 cm ist das Teil beendet.

Umrandung: Den Topflappen mit 1 Rd fM umhäkeln (M-Zahl teilbar durch 3), an den Ecken stets 3 fM in eine Einstichstelle.
In der 2. Rd * 2 fM, mit 3 Lm 1 M der Vor-Rd übergehen, ab * stets wdh., darauf achten, dass die Lm-Bögen stets über der Ecke liegen. Gleichzeitig für den Aufhänger in einer Mitte anstelle von 3 Lm ca. 12 – 14 Lm häkeln.
3. Rd: Die Lm-Bögen der Vor-Rd stets mit 4 fM umhäkeln, 1 Kett-M zwischen die 2 fM der Vor-Rd häkeln. Für den Aufhänger die Lm-Kette der Vor-Rd mit ca. 15 – 18 fM umhäkeln.

Op-Art

Karo-Topflappen

Größe ca. 22 x 22 cm

Das wird gebraucht

Für 1 Paar Topflappen:
55 g Coats Lyric 8/8 schwarz (Fb 501),
10 g weiß (Fb 500), 20 g hellblau
(Fb 510), 20 g apfelgrün (Fb 590), 20 g
orange (Fb 537), 20 g türkis (Fb 557),
20 g pink (Fb 587)
Häkelnadel Nr. 4 oder 4,5
Sticknadel Nr. 18 mit Spitze

Grundmuster: FM in R häkeln, dabei jede R mit 1 Lm wenden. Das Muster nach dem Zählmuster einhäkeln. Den Musterfaden beim Häkeln auf die M-Glieder der Vor-R legen und einhäkeln. Beim Farbwechsel stets die letzte M einer Farbe mit der folgenden Farbe abmaschen. Zum Schluss die Karos mit einer dünnen schwarzen Linie begrenzen. Hierfür senkrecht und waagerecht einen schwarzen Faden in Stopftechnik einziehen.
Streifenfolge: je 8 R hellblau – schwarz, apfelgrün – weiß, orange – schwarz, türkis – weiß, pink – schwarz.

Maschenprobe:
18 M und 18 R = 10 x 10 cm

So wird's gemacht

41 Lm in Hellblau anschlagen und in R fM häkeln = 40 M. Nach dem Zählmuster arbeiten = 2,5 Musterrapporte + 1 Wende-M. Nach 40 R ist der Topflappen beendet = 2,5 x die 1. – 16. R häkeln. Zum Schluss die schwarzen Linien einziehen.

Umrandung: Den Topflappen mit 1 Rd fM in Schwarz umhäkeln, dabei in jede R und in jede M des Häkelgrundes 1 fM häkeln, an den Ecken stets 3 fM in eine Einstichstelle, für den Aufhänger in der oberen Mitte 12 Lm häkeln. Die Kante noch mit einer Rd Kett-M behäkeln, dabei die Lm-Kette für den Aufhänger mit 15 fM umhäkeln.

Zählmuster

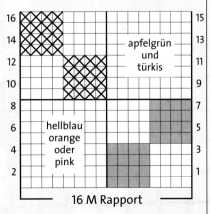

apfelgrün und türkis

hellblau orange oder pink

16 M Rapport

⊠ 500   ▨ 501

Maritimes

Seesterne

Durchmesser ca. 22 cm

Grundmuster: FM in Rd häkeln, dabei die Rd spiralförmig arbeiten. Ein farbiger Faden zwischen den M am Rd-Übergang erleichert das Zählen. Für die Zunahmen nach der Anleitung die M verdoppeln, d.h. in eine Einstichstelle 2 fM häkeln. Ab Rd 8 wird der Seestern im Farbwechsel eingehäkelt. Den Musterfaden beim Häkeln auf die M-Glieder der Vor-Rd legen und einhäkeln. Beim Farbwechsel stets die letzte M einer Farbe mit der folgenden Farbe abmaschen.

Maschenprobe:
18 M und 18 R = 10 x 10 cm

So wird's gemacht

Mit Beige beginnen. In einen Fadenring 2 Lm und 7 fM häkeln = 1. Rd. = 8 M.
2. Rd: 4 x jede 2. M verdoppeln = 12 M. In Natur weiterhäkeln.
3. Rd: 6 x jede 2. M verdoppeln = 18 M.
4. Rd: 6 x jede 3. M verdoppeln = 24 M.
5. Rd: 6 x jede 4. M verdoppeln = 30 M.
6. Rd: 1 x die 2. M und noch 5 x jede 5. M verdoppeln = 36 M.
7. Rd: 6 x jede 6. M verdoppeln = 42 M. In Beige/Babyblau weiterhäkeln.
8. Rd: 1 x die 3. M und noch 5 x jede 7. M verdoppeln = 48 M. Farbaufteilung: 6 M beige, 2 M babyblau.
9. Rd: 6 x jede 8. M verdoppeln = 54 M. Farbaufteilung: 6 M beige, 3 M babyblau.
10. Rd: 1 x die 4. M und noch 5 x jede 10. M verdoppeln = 60 M. Farbaufteilung: 1 M babyblau, 6 M beige, 3 M babyblau.
11. Rd: 6 x jede 10. M verdoppeln = 66 M. Farbaufteilung: 1 M babyblau, 6 M beige, 4 M babyblau.
12. Rd: 1 x die 5. M und noch 5 x jede 11. M verdoppeln = 72 M. Farbaufteilung: 2 M babyblau, 6 M beige, 4 M babyblau. In Beige/Türkis weiterhäkeln.
13. Rd: 6 x jede 12. M verdoppeln = 78 M. Farbaufteilung: noch 3 M babyblau, *5 M beige, 8 M türkis, ab * wdh., enden mit 5 M türkis.
14. Rd: 1 x die 9. M und noch 5 x jede 13. M verdoppeln = 84 M. Farbaufteilung: 3 M türkis, 5 M beige, 6 M türkis.
15. Rd: 6 x jeder 14. M verdoppeln = 90 M. Farbaufteilung: 3 M türkis, 5 M beige, 7 M türkis.
16. Rd: 1 x die 9. M und noch 5 x jede 15. M. verdoppeln = 96 M. Farbaufteilung: 4 M türkis, 4 M beige, 8 M türkis.

In Beige/Hellblau weiterarbeiten.
17. Rd: 6 x jede 16. M verdoppeln = 102 M.
Farbaufteilung: noch 5 M türkis, *3 M
beige, 14 M hellblau, ab * wdh., enden
mit 9 M hellblau.
18. Rd: 12 x die 7. und folgende 10. M verdoppeln = 114 M. Farbaufteilung: 6 M
hellblau, 2 M beige, 11 M hellblau.
In Hellblau weiterhäkeln.
19. Rd: 6 x jede 19. M verdoppeln = 120 M
In Beige weiterhäkeln.
20. Rd: 1 x die 10. M und noch 5 x jede
20. M verdoppeln = 126 M. Am Rd-Ende
für den Aufhänger 12 Lm häkeln und

diese mit ca. 15 fM umhäkeln. Nach
20 Rd den Topflappen mit 1 Rd Krebsmaschen in Beige beenden.

Sticken: Die Konturen des Seesterns in
Beige im Kettenstich umsticken, die
Seesternnoppen im Knötchenstich (2 x
umwickeln) aufsticken (Stiche siehe
Umschlaginnenseite).

Handschuh in Fischform

Größe: 17 x 32 cm

Grundmuster: FM in R häkeln, dabei jede R mit 1 Lm wenden. Die farbigen Flächen einhäkeln. Bei kleinen Farbflächen den Musterfaden beim Häkeln auf die M-Glieder der Vor-R legen und einhäkeln. Die größeren Flächen im Farbwechsel mit mehreren Knäuel arbeiten. Beim Farbwechsel die letzte M einer Farbe mit der folgenden Farbe abmaschen.

Maschenprobe:
18 M und 20 R = 10 x 10 cm

So wird's gemacht

Zuerst den Fisch, dann die Schwanzflosse häkeln. 11 M in Blau anschlagen und in die 2. Lm von der Nadel aus die 1. fM häkeln = 10 M. Den Topflappen nach dem Zählmuster arbeiten. Zum Schluss an der Anschlagkante in Babyblau die Schwanzflosse häkeln. Für die Rückseite 25 M in Blau anschlagen und die Form nach dem Zählmuster ab R 8 häkeln = 24 M. Erst ab 34. R des Zählmusters den Kopf in Babyblau häkeln.

Sticken: Den Fisch in Dunkelblau besticken: Das Auge im Plattstich, die Konturen im Stielstich nachsticken, die Schuppen sind in der Skizze nur angedeutet (Stiche siehe Umschlaginnenseite).

Zählmuster

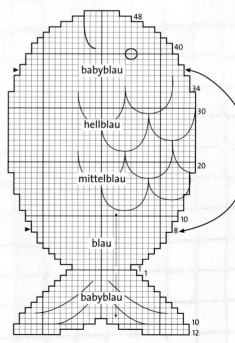

Umrandung mit Flossen: Den Fisch mit 1 Rd fM in Babyblau umhäkeln, dabei beide Topflappenteile zusammenhäkeln und für den Aufhänger in der oberen Mitte in der 1. Rd 12 – 14 Lm häkeln, mit 1 Kett-M schließen und diese Lm-Kette gleich mit ca. 14 – 18 festen M um-

häkeln. Die Flossen beidseitig über je 30 M in Dunkelblau 2 R häkeln, dann in jeder R beidseitig 3 x 1, 2 x 2 und 1 x 4 M abnehmen. Die Außenkante noch mit 1 R fM behäkeln. Die Linien in Babyblau im Stielstich aufsticken.

Alpen-
ländisches

Kuh

Größe ca. 20 x 25 cm

Das wird gebraucht

50 g Coats Lyric 8/8 schwarz (Fb 501),
25 g weiß (Fb 500), 10 g rosé (Fb 523)
Häkelnadel Nr. 4 oder 4,5

Grundmuster: FM in R häkeln, dabei jede R mit 1 Lm wenden. Die farbigen Flächen einhäkeln. Bei kleinen Farbflächen den Musterfaden beim Häkeln auf die M-Glieder der Vor-R legen und einhäkeln. Die größeren Flächen im Farbwechsel mit mehreren Knäuel arbeiten. Beim Farbwechsel die letzte M einer Farbe mit der folgenden Farbe abmaschen.

Maschenprobe:
18 M und 20 R = 10 x 10 cm

Zählmuster

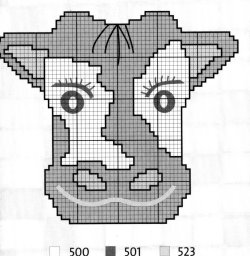

☐ 500	■ 501	▨ 523

So wird's gemacht

25 M in Schwarz anschlagen und in die 2. Lm von der Nadel aus die 1. fM häkeln = 24 M. Den Topflappen nach dem Zählmuster arbeiten.

Umrandung: Den Topflappen mit 1 Rd fM und einer Rd Kett-M in Schwarz behäkeln, dabei für den Aufhänger in der 1. Rd 12 Lm häkeln, in der 2. Rd diese Lm-Kette mit ca. 15 festen M umhäkeln.

Sticken: Die Augen in Schwarz und Weiß im Plattstich aufsticken, die Wimpern im Spannstich, das Maul in Rosé im Stielstich. An der Stirn noch einige Ponyfransen in Schwarz einknüpfen.

Enzian

Durchmesser ca. 22 cm

Das wird gebraucht

50 g Coats Lyric 8/8 natur (Fb 505),
10 g grasgrün (Fb 589), Reste in Gelb
(Fb 524), Blau (Fb 555) und Dunkelgrün
(Fb 556)
Häkelnadel Nr. 4 oder 4,5
Sticknadel Nr. 18 mit Spitze

Grundmuster: FM in Rd häkeln, dabei
jede Rd mit 2 Lm als Ersatz für die 1. fM
beginnen und mit 1 Kett-M in die 2. Lm
die Rd schließen. Die Zunahmen in den
Ecken nach der Häkelschrift arbeiten. Es
sind nur 12 Rd gezeichnet. In den folgenden Rd die Zunahmen stets nach dem
gleichen Prinzip arbeiten.

Häkelschrift

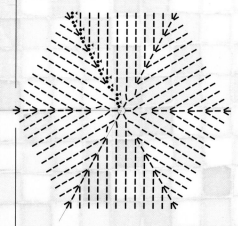

- Luftmasche = Lm
I feste M = fM

‹ Kettmasche
= Kett-M

Vergrößerungsfaktor 200 %

Maschenprobe:
18 M und 20 R = 10 x 10 cm

So wird's gemacht

In einen Fadenring 2 Lm und 5 fM häkeln
= 1. Rd = 6 M. Weiter nach der Häkel-
schrift arbeiten. Nach 21 Rd in Grasgrün
weiterarbeiten, für den Aufhänger in
eine Ecke 12 Lm häkeln und noch 1 fM in
die gleiche Einstichstelle, dann die Umrandung arbeiten: Die Kante noch mit
einer Rd Krebsmaschen behäkeln, dabei
die Lm-Kette für den Aufhänger mit
15 fM umhäkeln.

Sticken: Das Motiv auf den Topflappen
übertragen, die Blütenmitten in Gelb
im Knötchenstich sticken, die Blüten
in Blau, die Blätter in Grasgrün und
die Stiele in Dunkelgrün im Kettenstich
aussticken (Stiche siehe Umschlaginnenseite).

Edelweiß

Durchmesser ca. 22 cm

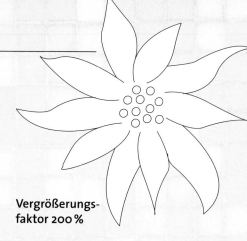

Das wird gebraucht

50 g Coats Lyric 8/8 grasgrün (Fb 589),
10 g natur (Fb 505), 10 g gelb (Fb 524)
Häkelnadel Nr. 4 oder 4,5
Sticknadel Nr. 18 mit Spitze

Vergrößerungs-
faktor 200 %

Grundmuster: FM in Rd häkeln, dabei die Rd spiralförmig arbeiten. Ein farbiger Faden zwischen den M am Rd-Übergang erleichert das Zählen. Für die Zunahmen nach der Anleitung die M verdoppeln, d.h. in eine Einstichstelle 2 fM häkeln.

Maschenprobe:
18 M und 20 R = 10 x 10 cm

So wird's gemacht

In einen Fadenring 2 Lm und 7 fM häkeln = 1. Rd. = 8 M.
2. Rd: 4 x jede 2. M verdoppeln = 12 M.
3. Rd: 6 x jede 2. M verdoppeln = 18 M.
4. Rd: 6 x jede 3. M verdoppeln = 24 M.
5. Rd: 6 x jede 4. M verdoppeln = 30 M
6. Rd: 1 x die 2. M und noch 5 x jede 5. M verdoppeln = 36 M.
7. Rd: 6 x jede 6. M verdoppeln = 42 M.
8. Rd: 1 x die 3. M und noch 5 x jede 7. M verdoppeln = 48 M.
9. Rd: 6 x jede 8. M verdoppeln = 54 M.
10. Rd: 1 x die 4. M und noch 5 x jede 9. M verdoppeln = 60 M.
11. Rd: 6 x jede 10. M verdoppeln = 66 M.

12. Rd: 1 x die 5. M und noch 5 x jede 11. M verdoppeln = 72 M.
13. Rd: 6 x jede 12. M verdoppeln = 78 M.
14. Rd: 1 x die 6. M und noch 5 x jede 13. M verdoppeln = 84 M.
15. Rd: 6 x jede 14. M verdoppeln = 90 M.
16. Rd: 1 x die 7. M und noch 5 x jede 15. M verdoppeln = 96 M.
17. Rd: 6 x jede 16. M verdoppeln = 102 M.
18. Rd: 1 x die 8. M und noch 5 x jede 17. M verdoppeln = 108 M.
19. Rd: 6 x jede 18. M verdoppeln = 114 M.
20. Rd: 1 x die 9. M und noch 5 x jede 19. M verdoppeln = 120 M.
21. Rd: 6 x jede 20. M verdoppeln = 126 M.
In Gelb weiterhäkeln.
22. Rd: 1 x die 10. M und noch 5 x jede 21. M verdoppeln = 132 M. Am Rd-Ende für den Aufhänger 12 Lm häkeln und diese mit ca. 15 fM umhäkeln.
Nach 22 Rd den Topflappen mit 1 Rd Mäusezähnchen beenden: * 2 fM, 1 Pikot = 3 Lm und 1 Kett-M in die 1. Lm, ab * stets wdh.

Sticken: Das Stickmotiv auf den Topflappen übertragen, die Blütenmitte in Gelb im Knötchenstich, die Blütenblätter in Natur im Plattstich aussticken (Stiche siehe Umschlaginnenseite).

Folks

Jacquardmuster

Größe: ca. 20 x 20 cm

Grundmuster: FM in R häkeln, dabei jede R mit 1 Lm wenden. Das Muster nach dem Zählmuster einhäkeln. Den Musterfaden beim Häkeln auf die M-Glieder der Vor-R legen und einhäkeln. Beim Farbwechsel stets die letzte M einer Farbe mit der folgenden Farbe abmaschen.

Maschenprobe:
18 M und 18 R = 10 x 10 cm

So wird's gemacht

38 Lm in Orange anschlagen und in R fM häkeln = 37 M. Nach dem Zählmuster arbeiten = 3 Musterrapporte + 1 M nach dem Rapport + 1 Wende-M. Nach 36 R ist der Topflappen beendet.

Umrandung: Den Topflappen mit 1 Rd fM in Dunkelblau umhäkeln, dabei in jede R und in jede M des Häkelgrundes 1 fM häkeln, an den Ecken stets 3 fM in eine Einstichstelle, in der oberen Mitte für den Aufhänger 12 Lm häkeln. Die Lm-Kette mit 1 Kett-M schließen und den Aufhänger gleich mit 14 – 16 fM umhäkeln. Die Kante noch mit einer Rd Kett-M behäkeln, dabei den Aufhänger ebenfalls behäkeln. Achtung: Bei dem zweiten Topflappen den Aufhänger mittig an einer Seitenkante arbeiten.

Asien

Schriftzeichen

Durchmesser ca. 22 cm

Grundmuster: FM in Rd häkeln, dabei die Rd spiralförmig arbeiten. Ein farbiger Faden zwischen den M am Rd-Übergang erleichtert das Zählen. Für die Zunahmen nach der Anleitung die M verdoppeln, d.h. in eine Einstichstelle 2 fM häkeln.

Maschenprobe:
18 M und 20 R = 10 x 10 cm

So wird's gemacht

In einen Fadenring 2 Lm und 7 fM häkeln = 1. Rd. = 8 M.
2. Rd: 4 x jede 2. M verdoppeln = 12 M.
3. Rd: 6 x jede 2. M verdoppeln = 18 M.
4. Rd: 6 x jede 3. M verdoppeln = 24 M.
5. Rd: 6 x jede 4. M verdoppeln = 30 M.
6. Rd: 1 x die 2. M und noch 5 x jede 5. M verdoppeln = 36 M.
7. Rd: 6 x jede 6. M verdoppeln = 42 M.
8. Rd: 1 x die 3. M und noch 5 x jede 7. M verdoppeln = 48 M.

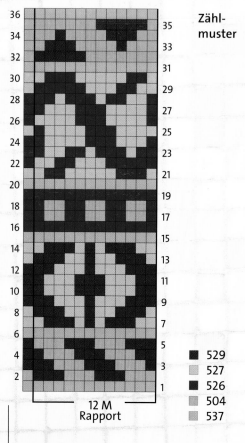

Zähl-muster

12 M
Rapport

■ 529
□ 527
■ 526
□ 504
□ 537

9. Rd: 6 x jede 8. M verdoppeln = 54 M.
10. Rd: 1 x die 4. M und noch 5 x jede
9. M verdoppeln = 60 M.
11. Rd: 6 x jede 10. M verdoppeln = 66 M.
12. Rd: 1 x die 5. M und noch 5 x jede
11. M verdoppeln = 72 M.
13. Rd: 6 x jede 12. M verdoppeln = 78 M.
14. Rd: 1 x die 6. M und noch 5 x jede
13. M verdoppeln = 84 M.
15. Rd: 6 x jede 14. M verdoppeln = 90 M.
16. Rd: 1 x die 7. M und noch 5 x jede
15. M verdoppeln = 96 M.

Vergrößerungsfaktor 163 %

17. Rd: 6 x jede 16. M verdoppeln= 102 M.
18. Rd: 1 x die 8. M und noch 5 x jede
17. M verdoppeln = 108 M.
19. Rd: 6 x jede 18. M verdoppeln = 114 M.
20. Rd: 1 x die 9. M und noch 5 x jede
19. M verdoppeln = 120 M.
21. Rd: 6 x jede 20. M verdoppeln =
126 M.
In Rot weiterhäkeln.
22. Rd: 1 x die 10. M und noch 5 x jede
21. M verdoppeln = 132 M. Am Rd-Ende
für den Aufhänger 12 Lm häkeln und
diese mit ca. 15 fM umhäkeln.
Nach 22 Rd den Topflappen mit 1 Rd
Krebsmaschen beenden.

Sticken: Die Schriftzeichen auf den
Topflappen übertragen, dabei das Motiv
am Aufhänger ausrichten und in Weiß
im Plattstich aussticken (Stich siehe
Umschlaginnenseite).

Chinatown

Größe: ca. 20 x 20 cm

Das wird gebraucht

45 g Coats Lyric 8/8 weiß (Fb. 500),
30 g rot (Fb 508), 15 g schwarz (Fb 501)
Häkelnadel Nr. 4 oder 4,5

Grundmuster: FM in R häkeln, dabei jede R mit 1 Lm wenden. Den Kreis nach dem Zählmuster im Farbwechsel einhäkeln. Man arbeitet mit 3 Knäuel in einer R, beim Farbwechsel stets die letzte M einer Farbe mit der folgenden Farbe abmaschen.

Maschenprobe:
18 M und 20 R = 10 x 10 cm

Zählmuster

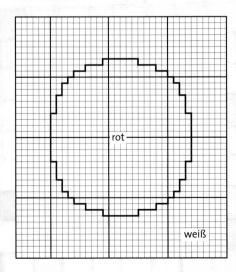

rot

weiß

Vergrößerungsfaktor 200 %

So wird's gemacht

37 Lm in Weiß anschlagen und nach dem Zählmuster arbeiten = 36 M.

Umrandung: Den Topflappen mit 1 Rd fM in Weiß umhäkeln, dabei in jede R und in jede M des Häkelgrundes 1 fM häkeln, an drei Ecken stets 3 fM in eine Einstichstelle. Die 2. Rd in Schwarz häkeln, in die Eck-M stets 3 fM in eine Einstichstelle an einer Ecke für den Aufhänger 12 Lm häkeln. Die Kante noch mit einer Rd Krebsmaschen behäkeln, dabei die Lm-Kette für den Aufhänger mit 15 fM umhäkeln. Krebsmaschen sind fM, sie werden jedoch von links nach rechts gehäkelt.

Sticken: Das Motiv auf den Kreis übertragen, dabei das Motiv zu dem Aufhänger ausrichten und in Schwarz im Plattstich aufsticken (Stich siehe vordere Umschlaginnenseite).

Bezugsquellen
Garne:
Coats GmbH Kenzingen
Postfach 1179
79337 Kenzingen

Die Deutsche Bibliothek – CIP-Einheitsaufnahme

Ein Titeldatensatz für diese Publikation ist bei
Der Deutschen Bibliothek erhältlich.

*Besuchen Sie uns auf unserer Internet-Seite unter
www.augustus.de*

Fotografie: Angela Francisca Endress, 61250 Eschbach
Foto Seite 22: Klaus Lipa, Diedorf bei Augsburg
Umschlaglayout: Angelika Tröger
Reihenkonzeption: Kontrapunkt, Kopenhagen
Layout: Anton Walter, Gundelfingen

AUGUSTUS VERLAG, München 2001
© Weltbild Ratgeber Verlage GmbH & Co. KG.

Satz: Gesetzt aus 9,5 Punkt The Sans von
DTP-Design Walter, Gundelfingen
Reproduktion: GAV Prepress, Gerstetten
Druck und Bindung: Offizin Andersen Nexö, Leipzig
Gedruckt auf 135 g umweltfreundlich chlorfrei
gebleichtes Papier.

ISBN 3-8043-0887-2

Printed in Germany

Partnerlook

Handschuhgröße: ca. 16 x 24 cm

Grundmuster: FM in R häkeln, dabei
jede R mit 1 Lm wenden. Die Zunahme
für die Rundung ist in der Anleitung
beschrieben. Um eine M zu verdoppeln
in die Einstichstelle der Vor-R 2 fM
häkeln.

Streifenfolge: * 1 R schwarz, 1 R weiß, 2 R
pink, 1 R weiß, 1 R schwarz, 2 R orange,
ab * 1mal wdh.

Maschenprobe:
18 M und 20 R = 10 x 10 cm

So wird's gemacht

26 M in Schwarz anschlagen und 1 R fM
häkeln = 25 M.
2. R: In Weiß weiterarbeiten, dabei
die 1. R von beiden Seiten behäkeln =
1. Seite 24 M, für die Rundung in die
25. M 5 fM häkeln, und die 2. Seite mit
24 fM behäkeln. Die weiteren Zunahmen
werden stets in jeder 2. R gearbeitet.
4. R: 24 fM, 5 x jede M verdoppeln,
24 fM = 58 M. **6. R:** 26 fM, 6 x jede M
verdoppeln, 26 fM = 64 M.
8. R: 28 fM, 8 x jede M verdoppeln,
28 fM = 72 M.
10. R: 28 fM, 1 M verdoppeln, dann noch
5 x jede 3. M verdoppeln, 28 fM = 78 M.
12. R: 26 fM, 1 M verdoppeln, dann noch
5 x jede 5. M verdoppeln, 26 fM = 84 M.
14. R: 29 fM, 1 M verdoppeln, dann noch
5 x jede 5. M verdoppeln, 29 fM = 90 M.
16. R: ohne Zunahmen häkeln. Die zwei-
te Hälfte genauso häkeln.